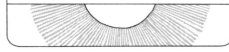

SONNE · MOND UND · STERNE

- ✹ *Erstes Lesealter*
- ✹ *Große Schrift*
- ✹ *Viele Illustrationen*
- ✹ *Bekannte Autoren*

James Krüss
Florian
auf der Wolke

Zeichnungen von den
hamburger bildermachern

Verlag Friedrich Oetinger · Hamburg

© Verlag Friedrich Oetinger, Hamburg 1981
Alle Rechte vorbehalten
Einbandgestaltung: Manfred Limmroth
Titelbild und Illustrationen: hamburger bildermacher
Herstellung: Ebner Ulm
Printed in Germany 1993

ISBN 3-7891-1641-6

Die Vögel und Kapitelchen der Geschichte

Lily Lerche   7

Hubert Habicht   18

Ralf Reiher   24

Max Meise   31

Martha Möwe   38

Spatz Sputnik   43

Noch einmal Lily Lerche   49

Lily Lerche

Florian war ein kleiner Junge, der über alles, worüber man stolpern konnte, stolperte, dauernd mit seinem Kopf an Wände oder Telegraphenmasten anstieß und immer Beulen oder blaue Flecke hatte. Florian war ein Wolkengucker. Er fand den Himmel und die Wolken und die Vögel schöner als alles, was es auf der Erde gibt. So

guckte Florian immer zum Himmel
auf und hatte unten auf der Erde
immer Beulen, Pech und Schwierig-
keiten.
Doch eines Tages änderte sich
das. Da lag er auf dem Rücken in
der Wiese, guckte wie üblich in den
Himmel hinein und seufzte:
„Ach, wenn ich doch auf einer
Wolke reisen könnte!"
Er hatte noch nicht ausgeseufzt,
als sich auf seinem linken Knie ein
Vogel niederließ, mit spitzem Schnä-
belchen, braunem Gefieder und
einer weißen Brust. Der sagte:
„Wenn du auf einer Wolke reisen
willst, dann tu's. Aber du mußt mit
leichtem Herzen reisen, Florian. Ein
schweres Herz beschwert dich und

die Wolke. Willst du wirklich auf einer Wolke reisen?"

„Ja", sagte Florian. „Das will ich."

„Dann wirf dein Herz in den Himmel und flieg."

Und Florian, so leichten Herzens wie noch nie zuvor in seinem Leben, merkte, daß auch sein Körper leicht wurde. Als eine kleine Wolke sich vom Himmel niedersenkte und sich vor seine Füße

legte, bestieg er sie, machte es
sich auf ihr bequem und wurde von
ihr hinaufgetragen in den Himmel,
bis sie in Höhe der anderen Wolken
waren.

Da saß nun Florian in einer Wolke,
watteweich, und trieb mit ihr über
das Land dahin, über den Fluß mit
seinen Brücken und den Schiffen,
über die Stadt mit all den spiel-
zeugkleinen Fahrzeugen zwischen

den Häusern und dann über den großen dunklen Wald.

Florians Herz wurde bei dieser Reise immer leichter, und so stieg er mit seiner Wolke auch beständig höher, bis er die anderen Wolken unter sich ließ. Da fing der Bub vor lauter Seligkeit zu singen an und sang:

„Wie schön, durch den Himmel zu fliegen
Und tief in das Blaue hinein;
Wie schön, sich auf Wolken zu wiegen
Und leicht wie ein Vogel zu sein.

Wie schön ist die Nähe und Ferne;
Wie schön sind bei Tag und bei Nacht
Die Wolken, die Vögel, die Sterne...

An dieser Stelle wurde Florian in seinem Gesang unterbrochen. Der kleine Vogel war es, der ihn unterbrach. Er setzte sich wieder auf Florians linkes Knie und sagte: „Du hast recht, Florian. Es ist schön, so durch den Himmel zu treiben. Und je schöner es für dich ist, um so leichter wird es dir ums Herz werden. Und um so höher wirst du mit der Wolke steigen. Aber denk daran, Kleiner, daß du kein Himmelsbewohner, sondern ein Mensch bist. Bis bald."

Ohne auf eine Entgegnung Florians zu warten, flog der Vogel wieder davon, rief aber noch, als er schon ein Stückchen entfernt war: „Ich heiße Lily Lerche. Wiiiederseeehn!"

14

„Wiedersehn, Lily Lerche!" rief Florian und winkte dem Vogel nach. Dann schaute der Junge einem Adler zu, der unter ihm kreiste, erschrak aber bis ins Herz, als dieser Adler plötzlich in der Luft stehenblieb, dann mit einem schwirrenden und pfeifenden Geräusch, das in den Ohren weh tat, senkrecht auf die Erde niederstieß und gleich darauf mit einem zappelnden Kaninchen in den Fängen wieder in die Luft aufstieg.

Florian erschrak darüber so sehr,
daß sein Herz einen Plumps machte;
und da machte auch seine Wolke
einen Plumps und sackte dabei ein
Stück ab. Bald war sie wieder auf
der Höhe der anderen Wolken.
Als Florian das bemerkte, seufzte
er und sagte: „Ein leichtes Herz zu
behalten, ist gar nicht so leicht,
wenn man zugucken muß, wie
große Adler kleine Tiere fangen. Ich
muß achtgeben auf mein Herz, da-

mit ich nicht noch tiefer sinke."
„Viel Glück dazu. Aber vergiß
nicht, Florian, daß du ein Mensch
bist", rief es aus der Höhe. Es war
wieder die kleine Lily Lerche, die es
rief. Sie flog gerade über ihn hinweg, dann aber steil in den Himmel
hinauf.

Hubert Habicht

Florian trieb jetzt, ohne es zu wis-
sen, über die Grenze seines Mutter-
und Vaterlandes fort und über ein
anderes Land hinweg, wo er die
Dächer eines Dorfes unter sich sah,
die Löcher hatten. Durch diese
Löcher konnte Florian verkohlte Bal-
ken und verwüstete Zimmer sehen.
Hinter dem Dorf aber sah er das,
was einmal ein Wald gewesen war:

18

kahle, oft auch zerborstene Baum-
stämme, die knochenweiß und ohne
Laub waren.

„Was mag da wohl passiert sein?"
fragte Florian.

„Krieg war da", sagte jemand
abgehackt und heiser. Dann
schwebte ein krummschnäbeliger
grauer Vogel heran, der auf der
Brust dunkel gesprenkelt war, und
ließ sich neben Florian auf der
Wolke nieder.

„War bös, der Krieg", ergänzte dieser Vogel. „Vögel und Bäume alle
hin. Sehr schlimm." Dann machte
der Vogel eine Art kopfnickender
Verbeugung und sagte: „Übrigens:
Hubert Habicht mein Name."

„Und ich bin Florian", sagte Florian.

Er konnte jetzt, zwar klein, aber
doch deutlich, einen alten Mann
in einem Rollstuhl erkennen, der
am Rande des toten Waldes in der
Sonne saß.

„Ist dieser Mann vom Krieg übrig-
geblieben?" fragte Florian den Vogel.

„Ja", sagte Hubert Habicht, „aber
ohne Beine."

„Wie schrecklich", sagte Florian,
und sein Herz wurde schwer,
so schwer, daß er mit seiner Wolke
wieder ein Stück absackte und der
erschrockene Hubert Habicht aufflog
und um die Wolke Kreise zu ziehen
begann.

Florian aber, der nicht auffliegen
konnte und auf der Wolke sitzen
bleiben mußte, seufzte und sagte:

„Ein leichtes Herz zu behalten, ist gar nicht so leicht, wenn man sieht, was ein Krieg alles anrichten kann. Ich muß achtgeben auf mein Herz, damit ich nicht noch tiefer sinke."
„Viel Glück dazu. Aber vergiß nicht, daß du ein Mensch bist, Florian", rief Hubert Habicht ihm beim Kreisen heiser zu. Dann schraubte sich der Vogel in engen Kreisen höher in die Luft hinauf.

Ralf Reiher

Florian flog jetzt über einen See,
dessen Wasser milchig trüb war
und an dessen Ufer es in der
Sonne immer wieder silbern auf-
blitzte.

„Was mag da unter mir so silbern
blitzen?" fragte Florian. „Ob das
wohl Edelsteine sind?"

„Von wegen Edelsteine!" sagte
eine Stimme, und ein grauweißer

großer Vogel mit langem Schnabel und noch längerem gebogenem Hals ließ sich auf Florians Wolke nieder.

Hier wiederholte er: „Von wegen Edelsteine!" Und fügte hinzu: „Fische sind das, mein Lieber, Fische!"

„Ich dachte, daß die Fische nur im Wasser leben", sagte Florian.

„Das tun sie auch", sagte der Vogel.

„Und warum sonnen sie sich jetzt am Ufer, Vogel?" fragte Florian.

„Sie sonnen sich dort gar nicht", sagte mit grimmiger Stimme der Vogel. „Sie sind tot. Übrigens . . ." Der lange Hals des Vogels wellte sich, als er sich vorstellte: „Mein Name ist Ralf Reiher."

„Und ich bin Florian", sagte Florian. Dann fragte er Ralf Reiher, ob er wisse, woran die Fische an dem Seeufer gestorben seien, und Ralf Reiher sagte: „Ja, das weiß ich wohl. Siehst du da hinten am Ende des Sees die großen Häuser?"

„Ja", sagte Florian. „Die sehe ich."

„Nun denn, durch diese Häuser sterben all die Fische, Florian", sagte Ralf Reiher. „Sie stellen dort Plastiken her, hab ich gehört, und ihre Abwässer vergiften unseren See. Verstehst du?"

„Nicht ganz, Ralf Reiher", sagte Florian. „Wie kann man denn durch Denkmäler den See vergiften? Plastiken sind doch Denkmäler, sagt Zeichenlehrer Stiftel."

„Denkmäler?" fragte Ralf Reiher nachdenklich. Dann murmelte er: „Solange ich an diesem See lebe, hat man noch nie ein Denkmal aus den Häusern fortgetragen. Ich seh immer nur Pappkartons, die fortgetragen werden, und dann den Schutt aus diesem harten glatten Zeug, aus dem sie Kämme oder Eierlöffel machen."

„Ach so!" rief Florian nach dem Gemurmel. „Jetzt hab ich verstanden, Ralf Reiher. Man macht dort Plastik und nicht Plastiken."

„Ob Plastik oder Plastiken, ist mir egal", sagte Ralf Reiher. „Was mich bekümmert, ist der einst so schöne See und dann die toten Fische, Florian. Sie sind ja auch, weil sie vergiftet sind, kein Futter mehr für Reiher. Verstehst du?"

„Ja", sagte Florian, und sein Herz wurde schwer, so schwer, daß es die Wolke auch beschwerte und sie samt Florian und dem Reiher ein Stück tiefer sackte.

Da seufzte Florian und sagte: „Ein leichtes Herz zu behalten, ist gar nicht so leicht, wenn man so viele Fische sterben sieht und an die Reiher denkt, die Hunger haben, und an die Menschen und ihr schlimmes Gift. Ich muß achtgeben auf mein Herz, damit ich nicht noch tiefer sinke."

„Dazu wünsch ich viel Glück", sagte Ralf Reiher, während er seine großen Flügel aufschlug. „Aber bedenke, Florian, daß du ein Mensch bist wie jene, die dort in den Häusern werkeln." Dann flog mit mächtigem weichem Flügelschlag Ralf Reiher wieder an den See hinunter.

Max Meise

Florian trieb auf seiner Wolke jetzt niedriger über das Land dahin als alle anderen Wolken. Er konnte Bäume, Autos, Menschen und selbst Hunde deutlicher erkennen als zuvor. Auch konnte er Geräusche von der Erde hören. So hörte er mit einem Male Blasmusik.

„Tättärättäng!" schmetterte es unter ihm.

Als er mit seinem Blick die Erde absuchte nach denen, die dort die Musik machten, sah er auf einem Platz am Rande eines Dorfes eine Blaskapelle aus blauuniformierten Feuerwehrmännern stehen. Sie bliesen auf Trompeten und Posaunen. Vor ihnen standen Kinder, die in ihren Händen etwas Gelbes hielten.

„Was haben die da bloß in ihren Händen?" fragte Florian.

Die Antwort gab ihm ein Vogel mit schwarzweißem Kopf und gelbem Bauch, der unversehens, sich mehr-fach überkugelnd, auf die Wolke purzelte und dabei, immer wieder von giggelndem Lachen unter-brochen, ausrief: „Die Kinder – gick

– haben – gick, gick – halbe Zitronen – gick – in ihren Händen."
„Und wozu das?" fragte Florian,
als der Vogel, immer noch giggelnd,
auf seinen Beinchen vor ihm stand.
„Wozu, Vogel, haben die Kinder
denn halbe Zitronen in den
Händen?"
„Um vor den Musikern hineinzu-
beißen", sagte der Vogel. „Übrigens ..." Er wippte ein bißchen
vor und dann wieder zurück. „Ich
heiße Max Meise."
„Und ich bin Florian", sagte Florian.
Dann fragte er: „Warum beißen
die Kinder vor den Musikern denn
in Zitronen hinein, Max Meise?"
„Hihi, das weißt du nicht?" fragte
der lachende Max Meise. „Hast du

denn niemals zugeguckt, wenn jemand in eine Zitrone hineingebissen hat, mein lieber Florian? Weißt du nicht, daß dein Mund sich dann zusammenzieht und daß ein Bläser nicht mehr blasen kann, wenn sich sein Mund ..."

Max Meise mit dem gelben Bauch konnte nicht weiterreden, weil aus dem strammen Tättärätt der Blaskapelle plötzlich ein ohrenzerreißendes Jaulen wurde.

Als Florian wieder auf die Erde niederguckte, sah er, daß alle Kinder wirklich an Zitronen lutschten. Doch sah er auch, wie sie schleunigst Reißaus nahmen, als sich die wütenden Feuerwehrmänner, die nun nicht mehr blasen konnten, mit den

Posaunen und Trompeten fuchtelnd,
auf sie stürzten.

Da überkugelte Max Meise sich
wieder vor Lachen auf der Wolke,
und Florian, vom Vogel angesteckt,
fing auch zu lachen an, giggelte
gradso wie Max Meise, lachte laut
auf, als er die Kinder auseinander-
spritzen und die Posaunen- und
Trompetenbläser hinter ihnen her
schnaufen sah, und bei dem
Lachen wurde ihm so leicht ums
Herz, daß auch sein Körper leicht
wurde und daß die Wolke wieder
höherstieg, fast bis zur Höhe all der
anderen Wolken.

Da sagte Florian, noch etwas
außer Atem von dem vielen Lachen:
„Ein leichtes Herz zu behalten, ist

leicht, wenn man lacht und wenn
ein kleiner Vogel mit uns lacht. Jetzt
aber muß ich achtgeben, daß ich
nicht wieder sinke."
„Viel Glück dazu", sagte, ebenfalls
noch außer Atem, Max Meise. „Aber
vergiß nicht, daß du ein Mensch
bist, Florian." Dann flatterte der
kleine Vogel, manchmal wieder leise
giggelnd, in das Dorf zurück.

Martha Möwe

Florian trieb jetzt an der Küste
jenes Meeres entlang, in das der
Fluß hineinfließt, den er überflogen
hatte. Hier sah er auf einem weißen
Sandstrand drei pechschwarze
Vögel stehen, die steif mit ihren
kurzen Flügeln klappten, als ob sie
aufgedrehtes Spielzeug wären.
„Was haben die? Was mag das Flü-
gelklappen bedeuten?" fragte Florian.

38

„Die haben Öl im Federkleid", gab eine kreischende Stimme ihm zur Antwort. „Und das bedeutet, daß sie nicht mehr fliegen können."
Ein schwarzflügliger weißer Vogel mit einem krummen gelben Schnabel ließ sich auf Florians Wolke nieder und fügte bitter hinzu: „So ist das, mein Lieber. Übrigens: Martha Möwe ist mein Name."
„Und ich bin Florian", sagte Florian. Dann guckte er wieder zum Strand hinunter und fragte: „Warum, Frau Martha Möwe, putzen diese Vögel sich ihr Federkleid nicht sauber?"
„Typische Menschenfrage!" kreischte Martha Möwe. „Wie sollen die drei armen Lummen denn all dieses Öl- und Teerzeug aus ihren

Federn entfernen, mein Lieber? Mit ihren Schnäbeln, meinst du? Das geht leider nicht. Du bist ein Mensch. Du findest leicht irgendein Menschenwässerchen, mit dem man Öl und Teer entfernen kann. Und damit, Florian, entfernst du's eben. Aber ein Vogel kann das nicht."

„Und wie, Frau Martha Möwe, kam denn das Öl ins Federkleid der Lummen?" fragte Florian.

„Das kam durchs Meer, in das sie eintauchen zum Fischefangen", sagte Martha Möwe. „Auf seiner Oberfläche nämlich schwimmt viel Öl. Von einem Öltanker, der hier bei Sturm gesunken ist, Florian. Siehst du nicht, daß das Meer hier ölig glänzt und dunkel ist?"

„Ja", sagte Florian. „Ich sehe es."
Und sein Herz wurde schwer und
damit auch die Wolke. Sie sackten
wieder ein Stück ab.
Als Florian das bemerkte, seufzte
er und sagte: „Ein leichtes Herz zu
behalten, ist gar nicht so leicht,
wenn man zusehen muß, wie die
geteerten Vögel hilflos sterben. Ich
muß achtgeben auf mein Herz, damit ich nicht noch tiefer sinke."
„Viel Glück dazu!" kreischte, auf-
fliegend, Martha Möwe. „Aber bedenke, Florian, daß du ein Mensch
bist." Dann schwebte sie in elegan-
tem Segelflug zum Strand hinunter.

Spatz Sputnik

Florian trieb jetzt über einer kleinen
Hafenstadt dahin, als plötzlich etwas
rundliches Graubraunes auf seine
Wolke fiel, dort kicherte, sich auf
zwei Beine stellte und sich am Ende
als ein Spatz entpuppte.
„Was hast du denn, Spatz? Warum
kicherst du so?" fragte Florian.
„Weil . . ." Der kleine Vogel konnte
nicht weiterreden, fiel, weil das

Kichern ihn so schüttelte, wieder
um, strampelte, weiter kichernd, mit
den Beinchen, richtete sich dann
aber wieder auf, unterdrückte das
Gekicher tapfer und sagte: „Ich
wollte heute mit dem Nestbau be-
ginnen. In einem großen blanken
Trichter. Den hab ich auf der Fisch-

fabrik entdeckt. Aber grad als ich
damit angefangen habe ..." Der
Spatz kicherte erneut, unterdrückte
das Gekicher aber wieder und sagte
schnell, um sich von dem, was ihn
so kichern machte, abzulenken:
„Übrigens: Man nennt mich Spatz
Sputnik."

„Und ich bin Florian", sagte Florian. Dann fragte er: „Was war denn nun mit deinem Nestbau, Spatz Sputnik?"

„Ach, ach, hihi . . ." Der Vogel fing wieder zu kichern an, erzählte aber dann: „Als ich grad mit dem Nestbau angefangen habe, Florian – in einem blanken Trichter, wie ich dir schon sagte –, fing dieser Trichter plötzlich an zu beben. Dann kam ein Wind mit viel Geheul aus seinem Bauch, der war so heftig, daß ich – pfiiihiii – einfach davongepustet wurde. Ich überkugelte mich dabei, als wäre ich ein Windei. Und halb taub war ich auch. Trotzdem hörte ich noch, bevor ich auf deine Wolke plumpste, wie alle

Spatzen unter mir vor Lachen
kreischten und riefen: „Spatz Sput-
niks Nest war die Sirene von der
Fischfabrik!"

„Du hast dein Nest gebaut in der
Sire . . .? Hihi!" Auch Florian mußte
lachen. Immer wieder rief er: „Hihi,
ein Spatzennest in der Sirene!"
Bei dem Gelächter aber wurde
Florians Herz ganz leicht, so leicht,
daß seine Wolke wieder aufstieg,
bis sie in Höhe der anderen Wolken
war.

Als Florian das bemerkte, sagte er,
nur noch ein kleines bißchen
kichernd: „Ein leichtes Herz zu behalten, ist leicht, wenn man lacht.
Jetzt aber muß ich achtgeben, daß
ich nicht wieder sinke."

„Viel Glück dazu", sagte nach
einem letzten kichernden „hi,
hi" Spatz Sputnik. „Aber vergiß
nicht, daß du ein Mensch bist,
Florian."
Dann flatterte der Spatz wieder zur
Hafenstadt hinunter, rief aber beim
Fliegen noch über die Schulter
zurück: „Der Wind ist umgeschlagen, Florian. Gib acht!"

Noch einmal Lily Lerche

Florian trieb jetzt den gleichen Weg
zurück, den er hergetrieben war. Der
Wind – Spatz Sputnik hatte recht –
war umgeschlagen. Er wehte
jetzt aus der entgegengesetzten
Richtung.
„So geht's, wenn man auf einer
Wolke reist", sagte Florian seufzend.
„Mal treibt's dich hierhin und mal
treibt's dich dorthin."

„Und auf und ab steigst du mit
einer Wolke auch", sagte eine
Stimme, die Florian bekannt vorkam
und die er, wie sich rasch heraus-
stellte, auch kannte. Es war Lily
Lerche, die geredet hatte. Sie ließ
sich nun vor Florian auf der Wolke
nieder und sagte: „Jetzt, da du wieder zurücktreibst mit der Wolke,
Florian, schau, wenn es geht, nicht
wieder auf die Erde nieder. Sonst
wird dein Herz womöglich wieder
traurig, und deine Wolke fängt zu
sinken an."

„Ja, Lily Lerche, du hast recht",
sagte Florian und schaute statt zur
Erde in den Himmel. Doch als er
plötzlich Martha Möwe durch das
Blau hinsegeln sah und wußte, daß

jetzt unter ihm arme geteerte Lummen auf dem Sandstrand standen und hilflos mit den schwarzen Flügeln klappten, wurde sein Herz wieder so schwer, daß es auch die Wolke beschwerte: Sie sackte ein Stück ab.

Als Florian das bemerkte, seufzte er und sagte: „Ein leichtes Herz zu

behalten, ist gar nicht so leicht, Lily Lerche. Ich muß achtgeben auf mein Herz, damit ich nicht noch tiefer sinke."

„Dann schau zur Erde nieder", sagte Lily Lerche. „Vielleicht wird es dann wieder leicht. Denk an Max Meise."

Da schaute Florian zur Erde nieder und sah den Platz, auf dem die Kinder Zitronen gelutscht und die Trompeten- und Posaunenbläser plötzlich so säuerlich gejault hatten, statt tättärättätt zu machen. Und wieder mußte Florian, als er daran dachte, lachen. Zwar lachte er nicht mehr so herzlich über das Erlebnis wie zuvor, als er, zusammen mit Max Meise, über das Jaulkonzert

gegiggelt hatte; aber sein Herz
wurde doch wieder leicht, so leicht,
daß er fast bis zur Höhe der anderen Wolken aufstieg.

Als Florian das bemerkte, sagte er:
„Ein leichtes Herz zu behalten, ist
leicht, wenn man lacht, Lily Lerche.
Jetzt aber muß ich achtgeben, daß
ich nicht wieder sinke."

„Dann schau, wenn's geht, jetzt nicht zur Erde nieder, Florian", sagte Lily Lerche. „Sonst wird dein Herz womöglich wieder traurig, und deine Wolke fängt zu sinken an."

„Ja, Lily Lerche, du hast recht", sagte Florian und schaute statt zur Erde in den Himmel. Als aber dort mit mächtigem Flügelschlag Ralf Reiher vorbeizog, als Florian wußte, daß jetzt unter ihm der trübe See war, an dessen Ufer tote Fische in der Sonne glitzerten, wurde sein Herz wieder so schwer, daß es auch die Wolke beschwerte: Sie sackte ein Stück ab.

Als Florian das bemerkte, seufzte er und sagte: „Ein leichtes Herz zu behalten, ist gar nicht so leicht, Lily

Die Fische sterben
hier im Weiher –
ich wandere aus!
Lebt wohl:
Ralf Reiher

Lerche. Ich muß achtgeben auf mein Herz, damit ich nicht noch tiefer sinke."

„Dann schließ die Augen, Florian", sagte Lily Lerche barsch. „Sonst siehst du wieder etwas, was dein Herz beschwert, und deine Wolke fängt zu sinken an."

„Ja, Lily Lerche, du hast recht",

sagte Florian, und er schloß die Augen.

Doch weil er wußte, daß er nun über das Dorf hintreiben werde, in dem ein böser Krieg Menschen und Vögel hingemordet hatte, und weil er an den Mann im Rollstuhl dachte, dem die Beine fehlten, wurde sein Herz wieder so schwer,

daß es auch die Wolke beschwerte: Sie sackte ein Stück ab.

Als Florian das bemerkte, öffnete er die Augen wieder, seufzte und sagte: „Ein leichtes Herz zu behalten, ist gar nicht so leicht, Lily Lerche. Ich muß achtgeben auf mein Herz, damit ich nicht noch tiefer sinke."

„Ach, Florian, das wird nicht gehen", sagte Lily Lerche.

Und sie hatte recht: Weil Florian über das tiefe Absinken der Wolke traurig wurde, wurde sein Herz, als er über die Landesgrenze hintrieb und dann über die Stadt mit den vielen Autos und Häusern, noch schwerer als zuvor.

Und weil sein Herz nun immer

schwerer wurde, sank die Wolke, sank und sank, während sie über den Fluß mit den Brücken und Schiffen hintrieben, und sank so tief zur Erde nieder, daß ihre Unterseite durch das Gras hinschleifte und sie sich langsam abwetzte und dünner wurde, bis sie den Florian nicht mehr tragen konnte und er genau in jene Wiese plumpste, von der er mit der Wolke aufgestiegen war. Da seufzte Florian tief auf und sagte, während die Wolke, die sich auflöste, um ihn herum das Gras befeuchtete: „Ach, Lily Lerche, ein leichtes Herz zu behalten, ist gar nicht so leicht, wenn man sich in der Welt ein bißchen umguckt."

„Das liegt daran, daß du ein

Mensch bist", sagte Lily Lerche.

„Wir Vögel werden ja nur traurig, wenn uns selber etwas zustößt. Der Mensch jedoch, der kann auch traurig werden, wenn andern etwas zustößt. Sogar wenn er das selbst verschuldet hat. Der Mensch ist ein seltsames Wesen."

Da dachte Florian, der sich nun aus dem Gras erhob, um heimzugehen: Wahrscheinlich hat der Vogel recht. Ein Wolkengucker ist er heute nicht mehr.

Alle Bände der Reihe auf einen Blick:

Cora Annett
Armer Esel Alf

Gunilla Bergström
Guten Tag, Herr Zauberer

Kirsten Boie
Geburtstagsrad mit
Batman-Klingel

King-Kong, das
Geheimschwein

King-Kong, das
Reiseschwein

King-Kong, das
Zirkusschwein

King-Kong, das
Liebesschwein

Lena hat nur Fußball
im Kopf

Erhard Dietl
Die Olchis sind da

Die Olchis räumen auf

Die Olchis
fliegen in die Schule

Elfie Donnelly
Die getauschten Eltern

Das Weihnachtsmädchen

Willi, Tierarzt für Kinder

Eva Eriksson
Lauras Geheimnis

Stefans neue Jacke

Weg da, wir kommen!

Ursula Fuchs
Eine Schmusemaschine
für Jule

Sonntag ist Tina-Sonntag

Herbert Günther
Ole und Okan

Eveline Hasler
Ottilie Zauberlilie

Ole Könnecke
Anton will seine Ruhe
haben

James Krüss
Florian auf der Wolke

**Rose und Samuel
Lagercrantz**
Metteborg in der ersten
Klasse

Astrid Lindgren
Lotta zieht um

Pippi plündert den
Weihnachtsbaum

**Barbro Lindgren-
Enskog**
Die Geschichte vom
kleinen Onkel

Paul Maar
Die Eisenbahn-Oma

Das kleine Känguruh
auf Abenteuer

Das kleine Känguruh
lernt fliegen

Das kleine Känguruh
und der Angsthase

Tier-ABC

Die vergessene Tür

Der verhexte
Knödeltopf

Jakob
und der große Junge

Erwin Moser
Paulis Traumreise

Christine Nöstlinger
Geschichten vom Franz

Neues vom Franz

Schulgeschichten
vom Franz

Neue Schulgeschichten
vom Franz

Feriengeschichten
vom Franz

Krankengeschichten
vom Franz

Liebesgeschichten
vom Franz

Weihnachtsgeschichten
vom Franz

Ein Kater ist kein
Sofakissen

Jo Pestum
Das kleine Mädchen
und das große Pferd

Hans Peterson
Als wir eingeschneit
waren

Otti Pfeiffer
Wer will eine kleine
Katze haben?

**Margret und Rolf
Rettich**
Vom Angeberfrosch
und anderen Tieren

Wie Ostern doch noch
schön wurde

Von ruppigen,
struppigen Seeräubern

Teddy-Krimi

Ursel Scheffler
Oma Paloma

Renate Welsh
Du bist doch schon
groß

Das kleine
Moorgespenst

ERDE·WASSER FEUER·LUFT

Nicht die umfassende Wissens-
vermittlung steht im Vordergrund
dieser Sachbuch-Reihe für Kinder
zwischen acht und zehn, sondern
eine lebendige Darstellung
spannender Themen.

Gabriele Beyerlein erzählt
von den Steinzeitjägern

Gabriele Beyerlein
erzählt vom Mittelalter

Gabriele Beyerlein
erzählt vom Gletschermann

Kirsten Boie
erzählt vom Angsthaben

Rainer Brand erzählt
von der Entdeckung Amerikas

Werner Färber
erzählt vom Ballonfahren

Herbert Günther erzählt,
wie ein Fernsehfilm entsteht

J. R. Horner und J. Gorman
erzählen von Dinosauriern

Gerd Küveler
erzählt vom Sonnensystem

Angelika Kutsch
erzählt vom Büchermachen

Tilman Röhrig erzählt
vom Ausbruch des Vesuv

Sigrid Zeevaert
erzählt von den Walen

Die Oetinger Kindersachbuch-Reihe